めぐろのさんま

さんまは、秋《あき》をだいひょうする
味覚《みかく》のひとつであります。
漢字《かんじ》でかくと、秋刀魚《あきのかたなのさかな》。
秋《あき》がふかまるにつれて、
北《きた》の海《うみ》にいたさんまが、
南《みなみ》へくだり、さんま漁《りょう》も
北海道沖《ほっかいどうおき》、三陸沖《さんりくおき》とうつり、
千葉県《ちばけん》の銚子沖《ちょうしおき》でとれるころには、
まさに、あぶらがのり、
塩《しお》やきにした味《あじ》は、
サイコーなのであります。
しかも、さんまは、ねだんもやすく、
今《いま》も昔《むかし》も、庶民《しょみん》のたべものですが、
昔《むかし》のおさむらいは、こういうやすい魚《さかな》を
「下魚《げうお》」とよんで、
たべなかったんだそうで……。

さて、ここは江戸《えど》、
ところは目黒《めぐろ》です。
殿《との》さまをせんとうに
野《の》がけの一行《いっこう》が、やってまいりました。
ちょうどおひるどき、
ただよってくる、いいにおいに
殿《との》さまは、はなをピクピク。
「これ、三太夫《さんだゆう》。
このにおいは、なんじゃ」
「ははっ、お殿《との》さま。これは、農家《のうか》で
さんまをやいているにおいでございます」

「さんま？　それはなんじゃ」
「魚《うお》にございます」
「なに、魚《うお》とな。
余《よ》はまだたべたことがない。
もろうてまいれ」
「さんまは、町人《ちょうにん》のたべる
下魚《げうお》にございます。
とても、お殿《との》さまのお口《くち》に
はいるものではございません」
「ひかえろ！　町人《ちょうにん》がたべるものを
余《よ》が、たべられぬわけはない。
すききらいをいっていて、
さむらいが、つとまるか。
かまわぬ、余《よ》はたべるぞ」
いいだしたらききません。
三太夫《さんだゆう》さん、しぶしぶ
農家《のうか》へかおをだし……

「ああ――、これ、すまぬが、
さんまをわけてはくれぬか」
おどろいたのは、農家《のうか》の
じいさん、ばあさん。
朝《あさ》はやく、野菜《やさい》をもって
町《まち》へでまして、
これをうったお金《かね》で
はしりのさんまを
五《ご》・六本《ろっぽん》かいこんできました。
おひるに、ふたりでやいて
たべようとしていたところで、
「こんなもので、
よろしいのでございましょうか」

あみにのせて、炭火《すみび》で
やいたんではないんです。
たき火《び》のなかへ
塩《しお》をぶっかけたさんまを
ほおりこんだんで、
あたまには、火《ひ》がついていて
しっぽには、けし炭《ずみ》が、
ぶらさがっているという
まっ黒《くろ》けの、アツアツです。
これに、大根《だいこん》おろしをそえ、
しょう油《ゆ》をさしますと、
ジュジュ――――ッ。
そのかおりの
うまそうなこと！

殿《との》さまのまえにだしますと、
「これが、さんまか！」
野《の》がけで、はらが
ペコペコになっているところに
このかおりです。
ひとはしつけて、
うまいのなんの!!
「おおっ、さんまとは、
美味《びみ》なるものじゃのう」
そりゃあ、そうでしょう。
われわれが、たべてうまいもの
殿《との》さまがたべて
まずいわけはありません。

あっというまに、
一本《いっぽん》、ペロリと
たべてしまいますと、
「目黒《めぐろ》はよいのう。
かわりをもて！」
「はあ？」
「かわりじゃ。かわりをもて」
「はっ、ははあ」
かわりじゃ。かわりじゃと、
とうとう五《ご》・六本《ろっぽん》、
みんな、たべてしまいました。
「目黒《めぐろ》は、よいところだ。
さんまにであえた」
と、たいそうなごまんぞくで、

「農家《のうか》のものに、
ほうびをとらせよ」

さてさて、かえりじたくも
すませたところで、三太夫《さんだゆう》さん、
「お殿《との》さまに
おねがいがございます」
「なんじゃ」
「おやしきに
おかえりになりましても、
目黒《めぐろ》において、さんまを
たべましたること、
ないしょにして
いただきますように」

「なに。目黒《めぐろ》において
さんまをたべたことを
しゃべっては、いかんのか」
「ははっ。さんまは、
下魚《げうお》にございます。
それを、お殿《との》さまに
たべさせたること、
重役《じゅうやく》たちの耳《みみ》に
はいりますれば、
われらの、おちど。
きついおしかりが、
あろうかと——」
「さようか。
そちたちが、こまるなら、
余《よ》は、いわんぞ」
「ははーっ」
とまあ、殿《との》さま、
ごきげんな一日《いちにち》でありました。

ふだん、殿《との》さまのたべる
やき魚《ざかな》といいますと、
たいと、きまっておりまして、
しかも、やきたてを
たべられるかと、いいますと
そうではありませんで、
お毒味役《どくみやく》というものが
おりまして、この人《ひと》が、
やきたてのたいを
ひとはしたべ、
そのまま二時間《にじかん》、
じっとしていまして、
なんともないとなると
それを、殿《との》さまに
だしたんだそうで……

すっかりひえきった、
たいのやきざましを
たべていたんであります。
「ああーっ、目黒《めぐろ》にいって
さんまが、たべたい」
おもいがつのるばかり。

「のう、三太夫《さんだゆう》。目黒《めぐろ》は、よいところじゃのう」

「おおせのとおり。けしきも美《うつく》しく、空気《くうき》もよく…」

「そうではない。……ほれ、あの、
黒《くろ》くて長《なが》やかなる魚《うお》のことじゃよ」

「おそれながら、お殿《との》さま。

そのおはなしは、なさいませぬように」

「いや、すまぬ、すまぬ。

しゃべっては、ならんのであったな、
さんまのことは――」

ってんで、ポロッとでますもんで、
三太夫《さんだゆう》さんは、ヒヤヒヤ。

「ところで、お殿《との》さま。

あすはごしんせきに
およばれにいく日《ひ》でありますが…」

「おお、そうであったな」

さて、とう日《じつ》。
しんせきのおやしきに、まいりますと、
「よくおいでくだされた。
本日《ほんじつ》は、どんなものでも
たべたいものを
いってくだされ、
おだしいたしまする」
さあ、このひとことに、
殿《との》さまは、大《おお》よろこび。
このチャンスをのがせば、
さんまをたべるときは
ないとばかりに
「余《よ》は、さんまが、たべたい！」

「うかがってきたかい」
「さんまがたべたいと
おっしゃっております」
「さんま!? 殿《との》さまが、
さんまを、ごぞんじのはずはない。
ききちがいだろう」
ところが、なんどきいても
さんま。
「やっぱり、さんまです」
「おかしいなあ、
たんまじゃないのか」
「いいえ、もうまったなしでっ」
てんで、すぐに魚河岸《うおがし》へ
いそぎました。

魚河岸《うおがし》というのは、
魚《さかな》の市場《いちば》でありまして、
ほうぼうの海《うみ》からとれた
魚貝《ぎょかい》がどっさりと、あつまっています。
そのなかで、けさ銚子《ちょうし》沖《おき》でとれた、
ピチピチのさんまをてにいれ、
いそいで台所《だいどころ》へ、
はこびこみ——

さっそく
料理《りょうり》にとりかかりました。
あぶらがつよすぎて
おなかをこわされてはと、
まず、あたまをとり、
りょうがわの身《み》と、骨《ほね》と
三枚《さんまい》におろし——

むし器《き》にいれて、むし。
あぶらをすっかりとり——

小骨《こぼね》がのどにさわってはと、
ぬきとっているうちに
かたちが、ぐずぐずに
なってしまったものですから、

すりばちで、すりつぶし。
粉《こな》をまぜて
つみれのだんごにし――

おわんにいれて
とろみをつけた
あんをかけいれて
できあがりました。

「ごちゅうもんの
さんまで、ございます」
「おおっ、
まちかねたぞ！」

ところが、おわんをてに、
黒《くろ》く長《なが》やかなるものが
でてくるとおもった殿《との》さま、
ふたをとると、
白《しろ》く丸《まる》やかなるものが
はいっていまして……
「これが、さんまか？」
「さんまにございます」
においをかいでみますと、
かす——かに、
さんまのにおいが
してきます。
「これだ、これだ」
と、ひと口《くち》たべて……

まずいのなんの――。
そりゃあそうでしょう、
あぶらをぬいてしまった
パサッパサの、さんまの
かすのようなもので、
ねこにやっても
たべやしません。

「これが、さんまか。
いったいどこから
とりよせた」
「弟子《でし》を魚河岸《うおがし》にはしらせ
とりよせました、
銚子《ちょうし》の
本場《ほんば》ものでございます」
「なに、ちょうし!?
だからまずいのだ。
さんまはな、

目黒《めぐろ》にかぎる！」

落語絵本を作った人

川端誠さん

落語絵本シリーズ　その６「めぐろのさんま」

絵本づくりの中で、絵にとりかかる段になってまずすることは、登場人物のキャラクターデザインでありまして、それぞれの人物になりきってきめていくのであります。

『めぐろのさんま』は、世情にうとい殿様のトンチンカンを笑う咄なんでありますが、大人たちの都合でねじまげられ、世間知らずに育ってしまうことは、今にも通じることのようで、そこで殿様を無邪気なとっちゃん坊や風にして、好奇心の強そうな表情を作ってみました。

殿様はさんまと出会い、自分の知らない世界があることを知るのですが、最後の精一杯の知ったかぶりも、見事空振りに終わります。しかし、そんなことにめげず、大いに好奇心をはっきして、未知の扉を開いていってほしいと思うのであります。

かわばた・まこと　1952年生まれ。シリーズごとにテーマや表現技法をかえて、多様な世界を展開している。『鳥の島』『森の木』『ぴかぴかぷつん』『お化けシリーズ』（ＢＬ出版）など著作多数。絵本作家ならではの的を射た絵本解説も好評。
落語絵本は、『ばけものつかい』『まんじゅうこわい』『はつてんじん』『じゅげむ』『おにのめん』『めぐろのさんま』『ときそば』（以上、クレヨンハウス）、『井戸の茶わん』『ねこのさら』『三方一両損』（以上、ロクリン社）がある。最近の作品に『ピージョのごちそう祭り』（偕成社）など。

発行日―――――2001年12月 第１刷　2024年８月15日26刷

発行人―――――落合恵子

発行――――――クレヨンハウス

東京都武蔵野市吉祥寺本町2-15-6 B1F

TEL 0422-27-6759　FAX 0422-27-6907

URL　https://www.crayonhouse.co.jp/

印刷・製本―――大日本印刷株式会社

初出・月刊『クーヨン』2001年11月号「おはなし広場」